Le bon, la brute
et l'andouille

BIOGRAPHIE

Après avoir écrit pendant plusieurs années des livres pour adultes aux États-Unis, dont plusieurs best-sellers, Jon Scieszka s'est orienté vers la littérature pour enfants. Depuis quelque temps, il travaille avec son fidèle ami illustrateur, Lane Smith : ensemble, dans la gaieté et la bonne humeur, ils ont publié des livres à grand succès.

Avis aux lecteurs

**Vous êtes nombreux à nous écrire
et nous vous en remercions.
Pour être sûrs que votre courrier arrive,
adressez vos blagues, vos gags
et autres histoires drôles à :**

Bayard Éditions Jeunesse
Collection Délires
3/5, rue Bayard
75008 Paris

IILLUSTRATIONS INTÉRIEURES
LANE SMITH
ADAPTATION
SANDRA DUTERTRE ET ÉLISABETH CHOUROT

Le bon, la brute et l'andouille

COLLECTION DÉLIRES

JON SCIESZKA

TRADUIT DE L'AMÉRICAIN
PAR FRANÇOISE PAICHER

TROISIÈME ÉDITION
BAYARD JEUNESSE

Pour mes frères Jim, Tom, Gregg, Brian et Jeff.

Titre original
The Good, the Bad and the Goofy
de Jon Scieszka, illustré par Lane Smith

Texte copyright © Jon Scieszka, 1992
Illustrations copyright © Lane Smith, 1992
Tous droits réservés. Reproduction même partielle interdite.
© 1999, Bayard Éditions
pour la traduction française avec l'autorisation
de Viking Pinguin,
division de Pinguin Books USA Inc.
© 2001, Bayard Éditions Jeunesse
Dépôt légal janvier 2001
Loi n° 49-956 du 16 juillet 1949
sur les publications destinées à la jeunesse

ISBN : 2 747 002 97 7

AVERTISSEMENT !

Que tu aimes déjà les livres ou que tu les découvres,
si tu as envie de rire, la série **délires** est pour toi.

Attention, lecteur !
Tu vas pénétrer dans un monde excitant,
où l'humour et la fantaisie te donnent rendez-vous
pour te faire rigoler et peut-être pleurer...
mais de rire !

1

Sous un soleil de plomb, un vent chaud et sec soufflait sur la grande prairie.

– Où diable sommes-nous ? demanda Cooky.

– Je crois bien qu'on est sur la piste de Chilom, en plein territoire cheyenne, répondit Lucky, le cow-boy.

ZZZZZ ! Une flèche arriva de nulle part en sifflant et vint se planter dans le chapeau de Lucky. Celui-ci la retira tranquillement et l'examina :

– Tu as raison, Cooky, on est chez les Cheyennes. Je parie que Sitting Bull et ses braves en veulent à notre troupeau.

Lucky regarda l'horizon. Au loin, on apercevait un nombre impressionnant d'Indiens à cheval, prêts à attaquer.

Environ deux mille vaches se mirent à meugler en s'agitant nerveusement autour des deux hommes.

Cooky cligna des yeux, angoissé :

– Qu'est-ce qu'on fait, Lucky ?

Impassible, Lucky remit calmement son chapeau sur sa tête :

– La cavalerie ne devrait pas tarder. On peut compter sur eux pour nous débarrasser de ces sauvages. En attendant, il faut calmer les bêtes. Allons-y, les gars ! lança-t-il à ses hommes.

– Tu es sûr que le régiment arrivera à temps ? demanda Cooky, qui tremblait de peur.

La musique du générique retentit. Un message apparut sur l'écran :

« Dans quelques instants, la suite de notre feuilleton du samedi soir " Lucky le cow-boy arrive à la rescousse ! ".»

Fred baissa le son. Il était tout excité :

– Vous avez vu ça ? Impressionnant, ce Lucky ! Quel sang-froid, je n'y crois pas !

– Moi non plus, affirma Édouard en plongeant la main dans le bol de pop-corn. Primo, Sitting Bull n'était pas un Cheyenne, mais un chef sioux. Deuxio, c'est la piste de Chisholm, et non de Chilom. Tertio, ce cow-boy Lucky n'est qu'un acteur minable !

– Ah ! Ça m'aurait étonné que Monsieur Je-Sais-Tout ne nous gâche pas la soirée ! En tout cas, je suis sûr qu'on s'amuserait plus en plein Far West qu'ici.

– Ah, merci, vous êtes sympas, les gars ! m'écriai-je. Je ne suis pas près de vous réinviter à passer la soirée chez moi !

Fred attrapa une grosse poignée de pop-corn et l'engloutit d'un seul coup.

– Ne te vexe pas, David ! dit-il la bouche pleine. Ce n'est pas qu'on s'ennuie chez toi, mais ces vacances d'été n'en finissent pas. On ne sait plus comment s'occuper ! Tu ne crois pas que ça serait amusant d'être de vrais cow-boys, plutôt que de les regarder à la télé ?

Je fermai les yeux et m'imaginai galopant dans la prairie, tirant en l'air avec mon six-coups, attra-

pant des bisons au lasso, dormant à la belle étoile…
Ça méritait réflexion !

J'attrapai le Livre à couverture bleu nuit dans la bibliothèque.

Cher vieux Livre ! Il était magique, et nous avait déjà permis de vivre des aventures palpitantes [1]. Le seul problème, c'était qu'à chaque fois… on avait bien failli ne jamais revenir.

– Justement, lançai-je, cette fois, je l'ai lu en grande partie. J'ai trouvé une formule qui pourrait bien nous sortir d'affaire en cas de problème. C'est la formule : « Pour traverser l'espace et le temps sans souci. »

Édouard sursauta :

– Ah non ! Vous n'allez pas recommencer avec ça ! Et au Far West en plus ! Jamais vous ne me traînerez chez les cow-boys, parmi le bétail en furie, les Indiens déchaînés et les règlements de comptes de hors-la-loi toujours prêts à assassiner leur prochain ! Ne comptez pas sur moi !

Fred, un peu refroidi à l'idée de finir bâillonné

---

1. Voir *Ça pétarade chez les pirates*, n° 204, et *Ta mère est une Neandertal*, n° 207 de la même collection.

dans un tipi, plongea pour la troisième fois la main dans les pop-corns. Un grain de maïs lui éclata à la figure en lui arrachant un hurlement de terreur. Il tomba à la renverse.

– Allez, les gars ! m'exclamai-je. On n'est pas des mauviettes ! Enfin... je veux dire, pas tous ! On a déjà affronté des pirates sanguinaires et des animaux préhistoriques voraces, alors pourquoi avoir peur de quelques cow-boys inoffensifs ?

Je pris le Livre.

Édouard remonta ses lunettes sur son nez (il fait toujours ça quand il s'énerve) :

– Lâche ce truc, David. À chaque fois, tu nous entraînes dans tes histoires, et puis tu ne sais plus comment faire pour nous en sortir. Ce n'est pas parce que ton oncle est magicien que toi aussi tu l'es !

Je n'allais pas me laisser insulter :

– Insinuerais-tu que je ne connais rien à la magie ? Tu n'as même pas vu mon dernier tour, « le manche à balai magique » ! Je vais vous le montrer tout de suite d'ailleurs... Voilà, moi, je tiens le manche à balai. Vous deux, tirez dessus de toutes vos forces. Vous n'arriverez pas à me faire bouger d'un poil... de balai ! Ha, ha, ha !

— Pas question, dit Édouard. Avec toi, on sait toujours comment ça commence, mais jamais comment ça se termine… Et pose ce livre tout de suite, s'il te plaît.

Mais Fred avait tout de même envie de changer d'air :

— Et si on ne partait que quelques toutes petites minutes chez les cow-boys ?

— Quelques minutes, c'est impossible, expliquai-je. On devrait plutôt…

— Non ! Pitié ! Tais-toi ! cria Édouard. Ne dis pas un mot de plus. Je sais exactement ce qui va arriver. Tu vas nous sortir une de tes formules à la noix, du genre :

« Pour traverser l'espace et le temps,

et se retrouver au Far West,

pendant la Conquête de l'Ouest,

Partons, partons, compagnons… »

Et puis cette espèce de fumée verte va apparaître, et ce sera le début de nos ennuis…

— Tu as tout à fait raison, murmurai-je, stupéfait.

– Quoi ? Qu'est-ce que tu dis ? s'énerva Édouard.

Soudain, son visage se crispa.

Une petite fumée verte montait tranquillement du sol.

– Je dis que tu as trouvé la formule exacte pour partir, commentai-je, un petit sourire au coin des lèvres.

– Oh, non ! gémit Édouard.

La fumée se fit de plus en plus épaisse.

– Eh si ! ajoutai-je.

– Super ! cria Fred.

2

Sous un soleil de plomb, un vent chaud et sec soufflait sur la grande prairie.

– Où diable… sommes-nous ? bégaya Fred.

– Ça, c'est une bonne question, répondit Édouard.
Nous nous regardâmes tous les trois. La fumée
verte se dissipait à nos pieds. Autour de nous, pas
un cow-boy, pas un cheval, pas un colt, pas une
tunique bleue [2], pas même une plume oubliée là
par un Indien trop pressé. Juste des cactus aux
formes bizarres, de l'herbe et de la poussière, encore de la poussière, toujours de la poussière.

_____
2. Nom donné aux soldats de l'armée américaine.

– Qu'est-ce qui s'est passé ? C'est moi qui ai déclenché ça ? s'étonna Édouard. Je ne comprends rien à ce fichu bouquin ! Les règles du jeu changent à chaque fois !

Pour être sûr de ce qu'il voyait, Fred donna un coup de pied dans un cactus. Le Grand Canyon nous renvoya en écho ses cris de douleur... ainsi que quelques jurons bien choisis.

– C'est ça, dis-je à Édouard. Toute la magie du Livre est là ! Il n'y a pas de règle, ça change à chaque fois !

– Mais alors, puisque toi tu as tout compris, explique-moi comment on va rentrer chez nous, demanda-t-il. Je vois d'ici la tête de mes parents bien-aimés quand ils liront dans le journal le récit tragique de trois adolescents dorés à point par le soleil du Nouveau-Mexique et obligés, pour survivre, de brouter des feuilles…

– Hé ! le coupai-je avant qu'il n'étouffe. Je te ferai remarquer qu'on sait parfaitement comment faire pour revenir. Il faut simplement retrouver le Livre.

– Bien sûr ! Aucun problème, ricana Édouard en désignant la grande prairie. Il suffit de regarder sous chaque cactus. Si on s'y met tout de suite, ça nous prendra une petite centaine d'années, avec un peu de chance ! Ou alors, on peut aussi demander au premier passant de nous indiquer la bibliothèque municipale la plus proche. Nos amis les Indiens auront certainement rangé le Livre soigneusement sur une étagère !

– Il doit bien y avoir une cabine téléphonique quelque part, lâcha Fred tandis qu'il extirpait la dernière épine de cactus de sa basket.

Il ajouta, en montrant sa chaussure à la ronde :

– Mesdames et Messieurs, vous avez devant vous un nouveau modèle de chaussure de sport tout juste commercialisé… et très aéré ! C'est pratique pour lutter contre les mauvaises odeurs… mais je me demande ce que ma mère va en penser. Elle vient de me les acheter.

– Oh, c'est bien le moment de nous parler de ta mère ! railla Édouard.

– Tais-toi, le coupa Fred, soudain sérieux. J'ai entendu un drôle de bruit !

– Pas de panique, reprit Édouard, ce sont sûrement les vautours qui tiennent une conférence pour savoir qui ils vont dévorer en premier !

Visiblement, Fred ne trouvait pas ça drôle :

– Arrête ton numéro ! Après tout, c'est à cause de toi si on se retrouve en plein Far West. Tu ferais mieux de nous aider à trouver des cow-boys !

– Tu as raison, Fred, acquiesçai-je. Cherchons-les. Et puis, nous devons faire confiance au Livre. Jusqu'à présent, nous nous en sommes toujours sortis…

– Ça, c'est sûr, pouffa Édouard. On peut faire confiance au Livre, mais… pour nous embarquer dans des histoires pas possibles ! Souviens-toi du canon chez Barbe-Noire le pirate, et du supplice de la planche, et du mammouth de la préhistoire, et du tremblement de terre… Ça, on peut s'attendre à tout avec lui. Rappelle-moi de remercier ton oncle, David, pour t'avoir offert ce merveilleux cadeau… Si nous nous en sortons vivants, évidemment !

– Chut ! Taisez-vous, tous les deux ! répéta Fred. Vous n'entendez pas comme un grondement ?

– Un grondement ? Tu veux parler du vulgaire gargouillement de ton estomac vide depuis environ cinq minutes ! se moqua Édouard.

Je l'arrêtai d'un geste :

– Tais-toi, écoute…

– Ça vient de là-bas…

Fred désignait un énorme nuage de poussière au loin.

– Ça bouge ! hurla Édouard qui l'avait enfin vu. On est sauvés ! Venez vite ! You hou !

Il se mit à courir en direction du nuage qui s'approchait. Bientôt, une masse rougeâtre émergea de la poussière…

– Ce sont sûrement des cow-boys, dit Fred.

– Des cow-boys avec quatre pattes et des cornes, oui. Ce que vous apercevez à l'horizon n'est rien d'autre qu'un troupeau de *long horns*, appelés plus communément « vaches », précisa Édouard-la-science.

Le bruit des sabots et les meuglements étaient de plus en plus forts. Des milliers de bêtes avançaient vers nous. Une dizaine de cow-boys à cheval les entourait.

Fred agita sa casquette en criant :

– Ohé, les gars, par ici ! On est là !

Il y avait peu de chance qu'ils nous entendent : le bruit était assourdissant.

Les bêtes fonçaient droit sur nous. J'avais du mal à cacher mon excitation.

J'aurais vendu ma mère pour rencontrer un cow-boy. Mon père aussi, si besoin ! Mais là, à la vue de centaines de naseaux écumants et des milliers de sabots qui faisaient trembler le sol, je décidai de garder mes parents…

– Euh…, si on se poussait un peu pour les laisser passer ? suggérai-je.

– Enfin une proposition sensée, répliqua Édouard. Surtout que, si ces bestioles, ancêtres de nos vaches je vous le rappelle, sont complètement myopes, elles sont douées d'un excellent odorat.

Il était urgent de bouger. Facile à dire, mais où aller ? À gauche comme à droite, nous étions toujours sur leur chemin. Le gigantesque troupeau se rapprochait dangereusement. À présent, nous distinguions nettement les cow-boys qui tentaient en vain de calmer les bêtes.

– Notre heure a sonné, déclara Édouard, solennel. C'en est fini de cette petite vie tranquille, des soirées devant la télé à manger du pop-corn en regardant... des westerns !

– Au moins, on aura vu des cow-boys « en vrai », dit Fred pour nous consoler.

Je regardai désespérément autour de moi. Pas le moindre abri. Toujours le même paysage : la grande prairie, les cactus, la poussière et encore la poussière et...

– Le troupeau ! hurla Édouard, perdant son habituel sang-froid.

La marée de ruminants arrivait sur nous dans un

roulement de tonnerre. On distinguait maintenant les longues cornes et le pelage roux et blanc des énormes bêtes. Elles meuglaient à vous faire regretter d'avoir deux oreilles !

– Fuyons ! cria Fred.

– On ne pourra jamais courir assez vite, dit Édouard. Elles ont l'air complètement dingues, rien ne les arrêtera. Je ne vois qu'une solution… David, il existe bien un moyen d'arrêter le temps, non ?

– Tu veux parler de la formule pour « geler le temps » ?

– Appelle-la comme tu veux, mais fais quelque chose ! supplia Édouard.

J'essayai de me concentrer :

– « Devant le danger imminent,

tentons de geler le temps.

pour arrêter les bêtes… »

Je me tus.

– Que se passe-t-il ? hurla Édouard.

– Il me faut une rime en « ette », vite !

– Casquette, éprouvette, mauviette, pâquerette, trempette…, se mit à énumérer Édouard, comme un fou.

Un vrai dictionnaire !

– Ça y est, j'ai trouvé ! « Pour arrêter les bêtes, Édouard agite sa chaussette. »

Le troupeau de vaches était maintenant à quelques dizaines de mètres.

– Montre-leur une chaussette, vite ! ordonnai-je à Édouard.

– Ma chaussette ? Mais pourquoi moi ? s'indigna Édouard.

Il venait de se rappeler avoir enfilé à la hâte, le matin même, une paire de chaussettes complètement trouées. Il obéit cependant, enleva sa chaussure et retira sa chaussette qu'il tendit vers les vaches en grimaçant de dégoût.

Le troupeau était presque sur nous.

Chacun ferma les yeux et eut une pensée émue pour ses chers parents, ses jeux préférés, son maître adoré. Nous nous préparâmes à mourir broyés sous les sabots de véritables *long horns* du Far West.

3

Le sol tremblait. Fred, Édouard et moi aussi.

La masse grondante et écumante arrivait sur nous tel un bolide lancé à pleine vitesse. Ça faisait plus de bruit qu'un train de marchandises. Et soudain, plus rien. Tout s'arrêta. J'ouvris un œil, puis l'autre…

Où était passé le troupeau déchaîné ? Autour de nous, seule la poussière volait doucement…

– Serions-nous arrivés au paradis ? demanda Fred.

– Je suppose que c'est ce que le Livre appelle « le brouillard du temps gelé », dis-je.

– Tu peux toujours supposer, se moqua Édouard.

Mais je signale à ta petite cervelle que cette poussière est tout ce qu'il reste du passage d'un troupeau qui a failli à l'instant même nous passer sur le corps. S'il n'y avait eu que ta formule de magicien à la gomme pour nous sauver, on y passait tous les trois. J'ajoute que si nous sommes encore en vie, ce n'est pas à cause de ta magie douteuse, mais uniquement grâce à ma chaussette !

– Parlons-en, de tes chaussettes ! répondis-je avec colère. Non seulement il t'a fallu près de deux minutes avant d'en agiter une, mais en plus elle est tellement trouée qu'on se demande si tu n'abrites pas une colonie de mites affamées !

– Taisez-vous ! hurla Fred. Regardez !

– Qu'est-ce qu'il y a encore ? gémit Édouard. Tu ne vas pas nous annoncer que le troupeau revient parce qu'il nous a manqués !

Un truc bizarre s'approchait en brinquebalant, accompagné d'un bruit de cloche.

Nous le regardions arriver, pétrifiés.

La poussière se dissipa et on distingua enfin une carriole tirée par quatre mulets. Des casseroles, des poêles et des tas d'autres ustensiles étaient accrochés à la bâche. Un drôle de petit vieux à barbiche la conduisait. Nous n'étions pas au cirque, mais ça ressemblait étrangement à un numéro de clown. Le petit vieux se mit à parler, la pipe à la bouche :

– Chalut, les mignons ! Mais qu'est-che que vous faites là, tout cheuls au beau milieu de ch'pays de chauvages ? Vous chavez parler, au moins ?

Pas question de lui dire qui nous étions ni d'où nous venions. Au mieux, il aurait une crise cardiaque, au pire il attraperait sa carabine et nous tirerait dessus. De toute façon, à chaque fois que nous disions la vérité, il nous arrivait les pires

ennuis. Je pris un air dégagé et répondis :

– Eh bien, euh, c'est que… nous voulions voir des cow-boys, alors, euh…

– Cha alors ! rigola le petit vieux. Ch'est la première fois que ch'entends un machin comme cha. Y viennent voir des cow-boys, et les v'là en plein milieu de la pichte de Chisholm, chuste à l'endroit où les bêtes che préchipitent pour aller boire ! Mais vous êtes fous, ma parole ! On vous a chamais dit que rien ne peut arrêter un troupeau qui chent l'odeur de la rivière ? Chi ch'étais vous, je remerchierais le Cheigneur d'être encore en vie. Ah, ben, cha alors !

Il se balançait en se tapant sur les cuisses.

Au moins, on faisait rire quelqu'un avec notre histoire !

– La prochaine fois, choisichez un autre endroit pour vous promener, ajouta-t-il en retirant sa pipe pour cracher une grosse giclée de tabac noirâtre à nos pieds. Ah ça ! J'en reviens pas ! Y-z-ont jamais vu un troupeau qui a soif, ma parole.

En me retournant, je vis enfin la rivière où les vaches s'abreuvaient tranquillement.

Tout en essuyant ses lunettes avec ce qui restait de sa chaussette trouée, Édouard s'adressa au bonhomme :

— Vous n'auriez pas vu par hasard un livre avec une couverture bleu nuit, des lettres d'argent, des étoiles et une lune ?

La question eut à peu près le même effet que si on avait demandé au bonhomme où se trouvait la station de métro la plus proche. Il se gratouilla la barbe comme s'il cherchait dans sa mémoire ce que le mot « livre » pouvait bien signifier.

— Un livre ? Je crois bien en avoir vu un l'année dernière, à la foire de San Antone, répondit-il en remettant sa pipe dans sa bouche. Ch'ai entendu dire que ch'était un livre…

— Merci pour le renseignement ! s'exclama Édouard que l'information laissait néanmoins perplexe.

Je m'avançai et demandai :

— Pourriez-vous nous présenter à votre patron ? Il pourrait peut-être nous aider…

— Che crois pas qu'il choit très doué pour la lecture, chi ch'est cha qui vous intéreche.

— Oh, ce n'est pas pour lire. Pour ça on peut se

débrouiller tout seuls, expliqua Fred. En fait, on voudrait être embauchés comme cow-boys.

Le vieux bonhomme nous regarda d'un air soup-çonneux :

– Vous n'auriez pas des ennuis, au moins ? Trois p'tits gars tout cheuls qui cherchent un livre dans le désert, puis qui veulent devenir cow-boys ? Vous cheriez pas en train de vous moquer de moi ?

– Non, M'sieur, répliqua Édouard. En fait, nous arrivons de New York. Chez nous, on est en 1998. Ce sont les vacances d'été, et nous ne savions pas trop quoi faire de notre soirée, alors nous avons uti-lisé un livre magique pour faire un voyage dans le passé, au Far West. En fait, nous hésitions à vous ra-conter tout ça, parce que nous pensions que vous n'alliez pas nous croire.

Je trouvais qu'Édouard avait été très persuasif. Je guettais la réaction du petit vieux : lui ne paraissait pas convaincu. Il cracha un autre jet brunâtre et éclata de rire :

– Ha ha ha ! cha alors, quelle partie de rigolade ! Ch'comprends rien à vos fichues chornettes, mais vous me faites bien rire ! Ha, ha, ha ! T'es vraiment un drôle de petit gars, toi alors, ha, ha, ha !

Ouf ! Notre histoire ne l'avait pas mis en colère. La carabine, la torture et autres délices semblaient être remis à plus tard.

— Hé ! Cooky ! Où étais-tu passé ?

Un homme à cheval s'approchait. Il avait tout l'attirail du vrai cow-boy. Sur sa tête, trônait un chapeau Stetson d'où émergeaient par endroits des mèches de cheveux qui ne connaissaient pas le shampoing. Il était chaussé de bottes tellement pointues que, si elles atteignaient votre derrière, ça vous empêcherait de vous asseoir pendant un bon moment. À son cou était noué un foulard bandana, accessoire très à la mode dans la région. Le célèbre cache-poussière, le pantalon de cuir, les éperons à molette complétaient la panoplie. Bref, une allure à faire pâlir d'envie John Wayne. Il arrêta sa monture à deux mètres de nous.

— Qu'est-ce que tu fichais ? On se demandait où vous étiez, toi et ta roulante… C'est quoi, ça ? ajouta-t-il en nous désignant. T'as décidé d'ouvrir une école maternelle ?

— J'arrivais tranquillement quand j'ai aperçu ces

trois p'tits gars, s'excusa le vieux en retirant sa pipe. Ils viennent de New York et ils veulent devenir de vrais cow-boys. Je vous présente Lucky, les garçons !

Le récit, pourtant palpitant, de notre aventure ne sembla pas intéresser Lucky. Il prit un air dédaigneux et nous toisa du haut de sa monture. À première vue, il était beaucoup moins sympathique que le cow-boy de mes lectures chevauchant Jolly Jumper. Et quand il ouvrait la bouche, ce n'était pas pour fredonner « *I am a poor lonesome cowboy* [3] ».

– Qu'est-ce que c'est que ces salades encore ? Que veux-tu que je fasse de trois morveux qui débarquent de la lune ou de je ne sais où… Je ne suis pas baby-sitter, moi ! J'ai un convoi de deux mille têtes de bétail à mener à la gare d'Abilene. On a encore le pays cheyenne à traverser, et rien n'est gagné.

Il n'était pas commode, le cow-boy Lucky ! Il se mit à réfléchir en nous regardant :

– Fais-en ce que tu veux, Cuistot, finit-il par dire.

---

3. Je suis un pauvre cow-boy solitaire.

Garde-les comme aides pour la cuisine ou amène-les au Kid ! Il trouvera bien de quoi les occuper. Mais pas un sou, hein ! De vrais cow-boys, ha ha ha ! C'est la meilleure !

D'un coup de cravache, il lança son cheval au galop et disparut dans un nuage de poussière.

On ne nous donnait pas le choix, même si j'étais ravi de cette proposition. Bien que n'étant pas un grand cuisinier, je me sentais plus à l'aise avec une poêle à frire que lancé au galop derrière des centaines de vaches beuglantes. Au moins jusqu'à ce que l'on retrouve le Livre, et, qui sait ? en amadouant un peu le cuistot, nous pourrions avoir peut-être des frites au dîner. Le vieux cuisinier se pencha pour cracher :

– Sacré Lucky ! Il est chouette, quand même !

– Je n'ai pas vu de livre accroché à sa selle, nous murmura Édouard.

– Allez, les cow-boys, en voiture ! lança Cooky.

4

Les heures qui suivirent furent très éprouvantes, surtout pour nos fessiers… Cooky avait renoncé à nous garder comme aides-cuistots et nous avait remis entre les mains du Kid. Celui-ci était à peine plus vieux que nous. Il prit un malin plaisir à nous refiler trois vieux bidets complètement décharnés et pas vraiment dociles. Nous n'étions encore jamais montés à cheval, et nous avions une allure ridicule sur ces sales bêtes.

Le résultat fut peu surprenant. J'avais hérité d'une monture vicieuse qui prenait un plaisir fou à m'expédier dans les airs. Édouard, qui ne rate pourtant pas une occasion de faire des mathématiques, renonça très vite à compter le nombre de fois où son bourrin l'envoya mordre la poussière. Quant à Fred, il s'agrippa tant bien que mal à la crinière de son affreuse jument et réussit l'exploit de ne tomber qu'une seule fois.

Il était évident qu'on avait tout à apprendre dans l'art du rodéo. En attendant de faire des progrès, nous regrettions beaucoup que Cooky n'ait pas été convaincu par nos talents de cuisiniers.

Au bout de quelques heures et de plusieurs dizaines de chutes, nos chevaux, fatigués par nos acrobaties, acceptèrent enfin de nous garder sur leur dos. Le Kid nous expliqua alors en quoi consistait notre travail. Nous étions des patrouilleurs, c'est-à-dire que nous devions empêcher les bêtes de s'éparpiller et, si ça arrivait, nous devions les ramener vers le troupeau.

C'était facile à dire ! Il fallait tenir à cheval, éviter les cactus, avaler des tonnes de poussière, renifler l'odeur épouvantable qui se dégageait des bovins et, en plus, discipliner ce bétail en furie !

Lucky, le chef de convoi, ne paraissait pas emballé

par nos exploits. La patience n'était pas son fort et, chaque fois qu'il passait près de nous, il nous injuriait copieusement :

— Allez, bande de mauviettes ! Un peu de nerf ! Ce n'est pas comme ça que vous deviendrez de vrais cow-boys !

Il s'amusait à exciter nos chevaux avec sa cravache, ce qui n'arrangeait pas du tout nos affaires.

Un magnifique soleil couchant éclairait la prairie quand Lucky décida qu'il était temps d'installer le campement pour la nuit.

Quel soulagement ! Le soir arrivait enfin.

— Je meurs de faim, dit Fred.

— Moi, rêva Édouard, je mangerais bien une énorme pizza avec beaucoup de fromage dessus, accompagnée de trois litres de Coca, et puis je voudrais un bon lit douillet.

Nous descendîmes de cheval et approchâmes du grand feu où une dizaine de cow-boys étaient déjà installés. La carriole de Cooky était là, et une odeur très bizarre se dégageait de la grande marmite de fonte posée sur le feu.

— Ah, mais c'est mes p'tits gars de New York !

Approchez-vous, mes mignons ! lança Cooky avant de cracher joyeusement.

Les dix hommes levèrent la tête pour nous regarder. Ils ne ressemblaient pas du tout aux cow-boys de la télévision, avec leurs grosses barbes et leurs chapeaux noirs de crasse. Mais ils avaient la tenue réglementaire : bottes, bandana, jean et colt à six coups. Personne ne parlait. Le soleil disparaissait peu à peu derrière l'horizon, coloriant les nuages de lueurs rouges et orangées.

Cooky remplit généreusement trois assiettes d'une drôle de substance brunâtre.

— Finalement, je me demande si j'ai vraiment faim, dit Édouard.

Fred regardait son assiette, visiblement inquiet.

— Qu'est-ce que c'est ? osa-t-il demander.

— Oh, répondit un cow-boy à qui il manquait quelques dents, ce n'est pas compliqué. Le cuistot ne sait faire que deux plats : bacon au haricots, et haricots au bacon. Ha ha ha ! Sacré Cooky !

Cette réplique fit beaucoup rire ses camarades. Ils se tapaient tous sur les cuisses en hurlant comme si c'était la blague la plus drôle du monde.

Je trempai ma fourchette dans la bouillie marron et la portai à ma bouche. Ça me faisait vaguement penser à une expérience de chimie sur la moisissure qu'on avait faite quelques semaines auparavant : on avait laissé pourrir un morceau de pain, et au bout de trois semaines le résultat était aussi répugnant.

– Je ne me plaindrai plus jamais de la cantine, jura Fred.

Nous avions tellement faim – ou peut-être trop peur de terminer en descente de lit – que nous finîmes par avaler l'immonde bouillie de Cooky. Nous poussâmes même le zèle jusqu'à saucer notre assiette avec un bout de pain rassis, comme tous nos compagnons. Cela n'avait rien à voir avec la pizza dont nous rêvions, mais il nous fallait prendre des forces pour le lendemain. Nous devions retrouver le Livre coûte que coûte.

Le soleil avait maintenant totalement disparu et une petite brise se levait.

Nous nous approchâmes du feu de camp.

Fred retira sa casquette et la secoua, dégageant un nuage de poussière. Il engagea la conversation :

– Sacrée journée, hein ! Et qu'est-ce que vous faites le soir, pour vous amuser, les gars ?

Personne ne répondit.

Ah, ce Fred ! Il avait vraiment le chic pour poser des questions stupides ! Comme si les pauvres bougres étaient en vacances dans le coin !

J'essayai de rattraper sa gaffe :

– Salut à tous ! Je me présente : David. Et voici mes amis, Fred et Édouard.

Plusieurs visages se tournèrent vers nous. Quelqu'un fit entendre un énorme rot. On avait intérêt à se dépêcher de parler avant que les haricots de Cooky ne produisent leur effet sur le reste de la troupe.

– On voulait juste vous remercier de nous avoir accueillis parmi vous, repris-je. On a l'intention de rester deux ou trois jours dans le coin, si ça ne vous dérange pas, bien sûr…

– Tu veux dire deux ou trois semaines, rectifia Cooky avant de cracher joyeusement.

– Deux semaines ? gémit Édouard.

– Ouais, y nous faudra bien ça pour rejoindre Abilene.

– Pas question d'avaler de la poussière et de manger des haricots pendant trois semaines, décréta Édouard. Il faut trouver un moyen de s'en aller d'ici au plus vite.

Et il se leva en entonnant un chant d'espoir :
« Levons le camp,
immédiatement.
Il est grand temps
de retrouver nos parents ! »

Je l'obligeai à se rasseoir et lui chuchotai :

– Arrête tes bêtises ! Ils vont nous prendre pour des cinglés. De toute façon, tu sais bien que le seul moyen de rentrer chez nous, c'est de retrouver le Livre.

J'avais à peine réussi à calmer Édouard que Fred s'écria à son tour :

– J'ai eu beau regarder partout, je n'ai vu ni Buffalo Bill, ni Calamity Jane, ni le général Custer. Vous pourriez nous dire où ils se trouvent ?

Un énorme gaillard à la tête de bandit sursauta :

– C'est toi qui as prononcé le nom de Custer ?

– Euh, oui…, balbutia Fred, pas très rassuré.

– Y'a un Custer à Fort Dodge : il est lieutenant au

7ᵉ régiment de cavalerie. J'en reviens tout juste, j'étais dans le 10ᵉ régiment.

Édouard était interloqué :

– Vous voulez dire que Custer, le vrai Custer, est vivant ?

– Y'a deux jours, il l'était encore, affirma l'homme.

– En quelle année sommes-nous ? demandai-je innocemment.

42

Les cow-boys me regardèrent comme si je m'étais échappé de l'asile :

— Ben, en 68.

Je récitai de mémoire une histoire que j'avais lue dans un livre sur le Far West :

— En juin 1876, le général Custer, à la tête du 7e régiment de cavalerie, fut tué au cours de la bataille de Little Big Horn, où il combattait Sitting Bull et ses Sioux…

Cette fois, c'était certain : les cow-boys allaient nous prendre pour des fous.

— Ce serait bien si on pouvait le prévenir de ne pas y aller, dit Fred. Est-ce que quelqu'un sait où il se trouve ?

Le gars du 10e régiment avait l'air étonné, mais il répondit tout de même :

— Il doit être encore dans les environs, en train de poursuivre les Cheyennes qui ont massacré tout le convoi du King Ranch la semaine dernière.

Un coyote hurla dans la nuit.

— Que… qu'est… qu'est-ce qu'ils leur ont fait, aux gars du King Ranch ? demanda Édouard, les yeux exorbités.

– D'abord, ils les ont ligotés, puis ils les ont scal-
pés, ils leur ont ouvert le ventre et…

– Cooky ! hurla Lucky. Arrête de caqueter comme
une vieille poule ! Il y a mieux à faire, on a des
ennuis !

J'avalai ma salive et réussis à demander :

– Les Indiens ?

– Pire, répondit Lucky. Un orage. Les bêtes l'ont
senti, et elles sont nerveuses. Un seul coup de tonnerre, et c'est la catastrophe.

Cooky baissa les yeux vers nous :

– Ça vous rappelle quelque chose, les mauviettes,
deux mille bêtes affolées qui foncent droit devant
elles ? Il ne restera pas grand-chose à enterrer de
celui qui se trouvera sur leur passage.

Le souvenir était encore bien présent à notre esprit.
Nous n'avions pas besoin de faire de gros efforts
pour nous rappeler que nous l'avions échappé
belle grâce à une seule chaussette !

– Merci du renseignement, articula faiblement
Fred.

– Jake et Cody, allez jeter un coup d'œil aux bêtes
de tête et essayez de les calmer. Les autres, instal-

lez-vous pour la nuit, mais ne vous éloignez surtout pas et tenez-vous prêts à remonter à cheval à mon signal !

On nous donna des couvertures et nous nous installâmes le mieux possible pour passer la nuit. Le ciel était noir. Pas une étoile ne brillait. Nous entendions les meuglements du bétail que Jake et Cody tentaient de calmer en chantant une ballade.

« Quand le soir tombe sur la grande plaine,
le cow-boy harassé se repose enfin
et songe à sa paie et au bon bain
qui l'attendent au bout du chemin, à Abilene ! »

— Aïe ! cria Édouard en se cognant la tête contre un cactus. Bon, j'ai vraiment adoré être cow-boy, mais maintenant il serait temps de rentrer à la maison. Il faut retrouver le Livre.

— Tu vois bien qu'il n'est pas ici, lui fis-je remarquer. Nous le trouverons peut-être à Abilene, à la fin du voyage…

— Je ne supporterai pas cet horrible Lucky un jour de plus, décréta Fred à son tour. Prenons les chevaux et partons d'ici cette nuit !

– Tu es tombé sur la tête, ma parole ! hurla
Édouard. Ce pays est plein d'Indiens ! Tu as entendu ce que Cooky a dit ? D'abord, ils ligotent,
après ils scalpent, et après…

– Et la cavalerie, tu l'as oubliée ? le coupa Fred.

– Quoi, la cavalerie ?

– Custer et ses tuniques bleues ! S'ils avaient le
Livre, eux ?

Je réfléchis une bonne minute :

– Après tout, Fred a peut-être raison. Chacun sait
que la cavalerie arrive toujours à temps. Tous les
cow-boys ne sont pas forcément analphabètes. Ils
ont sûrement le Livre.

– Ça roule ! cria joyeusement Fred. On s'enfuit
cette nuit et on cherche le 7e régiment !

– Je n'irai pas, dit Édouard en s'enroulant dans sa
couverture. Je reste ici et j'attends la cavalerie.

– On part, dit Fred.

– On reste, dit Édouard.

– On part.

– On reste.

– On…

Un éclair éblouissant traversa le ciel et un énorme

coup de tonnerre retentit, mettant fin à la conversation. La terre se mit à trembler. Cette sensation nous rappelait quelque chose. Je compris ce que c'était avant d'entendre le cri de Lucky :
– Le troupeau !

5

Des milliers de bêtes qui foncent droit devant elles, sans écouter les berceuses chantées par Jake et Cody, nous avions déjà vu ça. Mais cette fois, c'était pire : les bêtes, affolées par l'orage, frappaient furieusement le sol de leurs sabots et écumaient.

Nous bondîmes tous les trois comme des diables de nos couvertures et nous commençâmes à courir pour nous mettre à l'abri. Brusquement, le sol se déroba sous nos pieds et nous tombâmes dans une sorte de ravin.

Nous entendions les bêtes qui meuglaient et couraient au-dessus de nous. Les cow-boys hurlaient, sifflaient et tiraient des coups de feu. Ils tentaient de regrouper le troupeau. L'odeur et la chaleur des animaux nous parvenaient par bouffées. La lumière des éclairs nous aveuglait. Bientôt, il se mit à pleuvoir à verse.

– Agrippons-nous au bord du ravin, dit Fred. Au moins, ici, nous sommes à l'abri.

Édouard et moi n'avions pas attendu ses conseils pour nous cramponner.

Le sol résonnait sous le martèlement des sabots. Les éclairs et le tonnerre se déchaînaient tandis que des trombes d'eau s'abattaient sur nous. Au milieu de ce boucan infernal, nous entendîmes soudain un autre bruit : woush, woush !

– Qu'est-ce que c'est que ça encore ? cria Fred.

– On dirait le bruit d'une chasse d'eau, lui répondis-je.

– Tu sembles oublier que nos amis les cow-boys n'ont pas encore inventé les toilettes, pourtant si pratiques, répliqua Monsieur Je-Sais-Tout.

Un éclair nous permit alors d'apercevoir un torrent sous nos pieds. Woush, woush ! Le bruit était de plus en plus fort. Un autre éclair, et je vis avec

horreur que l'eau montait à toute vitesse.

Woush, woush, woush ! Soudain, je compris ce qui se passait, et hurlai :

– Fred ! Édouard ! Vite, grimpez ! Nous sommes dans le lit d'une rivière !

Nous eûmes juste le temps d'apercevoir le torrent d'eau boueuse qui dévalait sur nous, avant d'être emportés.

À la lueur d'un éclair, j'aperçus les pieds de Fred et les lunettes d'Édouard encore vissées sur son nez. Un autre éclair, et je vis la tête de Fred qui réapparaissait. Puis je ne les vis plus.

Je me laissai porter par les flots au milieu des branches, des animaux et de toutes sortes de choses que la rivière charriait.

Soudain, le vacarme cessa : la pluie s'était arrêtée. Le calme revint aussitôt et je me retrouvai en train de flotter dans une eau aussi tranquille que celle d'un lac. Je levai les yeux : de gros nuages noirs s'éloignaient, faisant place à un magnifique ciel d'été parsemé d'étoiles.

Je parvins à articuler :

– Édouard ! Fred !

Pas de réponse.

Je nageai jusqu'au bord et me hissai sur le sable en murmurant :

– Édouard ! Fred !

Je regardai autour de moi. Le soleil se levait et le paysage n'avait pas changé : la prairie, la poussière et les cactus. Tout était exactement pareil ou presque : il n'y avait pas trace du bétail ni des cow-

boys. Et, pire que tout, pas d'Édouard ni de Fred
à l'horizon.

J'eus encore le temps de gémir faiblement :

– Édouard ! Fred !

Puis je m'évanouis.

Soudain je sentis qu'on me secouait vigoureuse-
ment. C'était sûrement Custer et son régiment de
cavalerie qui venaient enfin me secourir. Je souris
et murmurai :

– Fred, Édouard, on est sauvés !

J'ouvris les yeux. Une grande ombre était penchée
sur moi…

Je m'évanouis à nouveau.

6

Je fus réveillé par le trottinement d'un cheval. J'ouvris les yeux sur le sol qui défilait sous moi… et un mocassin qui se balançait doucement. Il me fallut une minute pour réaliser que j'étais à plat ventre sur le dos d'un cheval, ce cheval étant monté par un Indien. Pieds liés, je n'étais pas au mieux de ma forme : j'avais l'impression d'être passé sous un rouleau compresseur.

Je tentai d'attirer l'attention de mon chauffeur :

– Hé, euh, excusez-moi, Monsieur. Ho, ho ! Hé ! Vous m'entendez ?

Le brave tira sur les rênes et son cheval s'arrêta.

– Merci beaucoup, dis-je. Eh bien, euh, écoutez, je ne me sens pas très bien… On pourrait peut-être s'arrêter une minute ?

L'homme se pencha pour me regarder. Puis il réfléchit. Cela me parut durer une éternité. Il me détacha enfin. Je glissai et atterris par terre dans un cri :

– Ouille ! Merci beaucoup.

L'homme sauta de son cheval. Il portait un pantalon et une chemise en daim avec des franges qui pendaient le long des bras et des jambes. Une plume était piquée dans ses longs cheveux noirs. Il avait également un arc avec des flèches, et un long poignard accroché à sa ceinture. Je me souvins des documentaires sur les Indiens d'Amérique que j'avais vus : quand un Indien se coiffe d'une seule plume, il cherche à impressionner l'adversaire. Je rassemblai mon courage et décidai… de me laisser impressionner.

– Oh, euh, et…, bredouillai-je.

J'étais tellement effrayé que je n'arrivais même plus à parler.

Il me regardait avec les yeux les plus noirs que j'aie

jamais vus. Je pensai aux gars du King Ranch et je me mis à trembler :

– Je, je j-j-je m-m-m'appe-pe-lle David, articulai-je faiblement. Vous savez, je les connais à peine, tous ces cow-boys. On venait juste d'arriver d'une autre époque, avec mes amis, et...

L'homme ne répondit pas et se tourna vers son cheval. Il fouilla dans un sac accroché à sa selle, puis il sortit son énorme poignard de son fourreau de cuir. J'avais les jambes en compote. Il allait tailler brutalement les boucles qui ornent mon crâne... C'était certain.

– Oh non, suppliai-je. Vous n'allez pas me scalper... Vous savez, je suis allé chez le coiffeur la semaine dernière. Et que dirai-je à mes parents en rentrant à la maison ? Je sens que ça ne va pas du tout leur plaire !

L'homme s'avança vers moi.

J'essayai de protéger ma tête avec mes mains :

– J'ai encore besoin de mes cheveux, s'il vous plaît...

L'homme était devant moi. Je tentai le tout pour le tout :

– Je suis magicien… Je vais vous montrer un de mes tours… Vous voyez ? Je n'ai rien dans la manche. Et regardez bien maintenant…

L'énorme poignard était à quelques millimètres de ma tête. Sa lame brillait dans le soleil. Le poignard s'abattit… sur quelque chose que tenait l'homme dans l'autre main. La lame s'abattit à nouveau et il me tendit… De la nourriture ! Je pleurais et riais à la fois.

Je portai la main à la bouche. Ça avait un drôle de goût, son truc ! On aurait dit un mélange de fraise pourrie, de lard séché et de fromage très très fait…

– Mmm… c'est bon ! fis-je en me passant la main sur le ventre avec un air ravi. Délicieux !

J'étais si content de n'avoir perdu ni mon scalp ni la vie que je ne pouvais plus m'arrêter de parler. C'était le bonheur, là, dans ce désert, avec mon scalp intact, mon corps qui respirait toujours et cet horrible repas à déguster ! Je parlais pendant que l'homme coupait les liens autour de mes chevilles. Je bavardais tandis qu'il me hissait sur l'un de ses trois chevaux. Et je papotais encore alors

que nous chevauchions dans ce désert de sable
et de cactus. Cela dura des heure ; j'eus le temps
de lui raconter à peu près toute ma vie, du moins
tout ce dont je me souvenais : l'école, les parents,
la maison, les copains, les devoirs, mon oncle et la
magie, etc.

Enfin, nous grimpâmes au sommet d'une colline,
et l'homme leva la main. Les chevaux s'arrêtèrent
aussitôt.

En bas, une rivière serpentait. Sur l'autre rive se
dressaient des dizaines de tipis. C'était le campement indien ! Ils devaient être une centaine.

Une petite troupe d'enfants escortés par des chiens traversa la rivière pour venir à notre rencontre. Les enfants m'entourèrent en riant et en criant : « Wasichu ! Wasichu ! »

C'était sûrement leur manière de saluer des étrangers. Je reculai un peu et dis poliment :

– Bonjour ! Wasichu ! Bonjour ! Wasichu !

L'homme et les enfants éclatèrent de rire. Je ne voyais pas ce qu'il y avait de drôle.

Nous nous approchâmes du village. Des femmes tannaient des peaux, d'autres s'affairaient autour d'un feu. Des hommes fabriquaient des boucliers ou affûtaient des lances. Sur notre passage, chacun s'arrêtait de travailler pour nous observer.

Je levai la main en signe d'amitié et lançai :

– Bonjour ! Wasichu !

Et tout le village se mit à rire.

Nous nous arrêtâmes devant un grand tipi recouvert de dessins de batailles. Un Indien très grand et très fort en sortit. Les enfants et les chiens se regroupèrent autour de nous.

– Ô, Ours Costaud, j'ai encore trouvé un de ces drôles de petits Wasichus, dit mon compagnon dans un anglais parfait. Je vous l'ai amené pour le mettre avec les autres.

Le chef nous regardait avec un mauvais sourire.

– Je vous préviens, continua l'homme, il parle sans jamais s'arrêter. Il faudrait l'appeler « Rivière de Paroles ».

Ours Costaud m'attrapa et me fit descendre de cheval. Il me mit sous son bras et me trans-porta comme un vulgaire sac de farine à l'intérieur du tipi. Il me jeta sur un tas de peaux de bi-son.

– Oh ! s'exclama une peau de bison.

– Ah ! dit une autre peau.

Deux têtes jaillirent de là-dessous. C'étaient Édouard et Fred.

– Édouard ! Fred ! Comme je suis content de vous voir !

– David ! Quelle joie de te retrouver !

Peu à peu, mes yeux s'habituèrent à la semi-obscurité du tipi. Un petit feu brûlait au centre, à même le sol. Ours Costaud était assis là et ne me quittait pas des yeux.

– Pourquoi me fixe-t-il ainsi ? demandai-je à mes compagnons.

– Je te conseille de ne pas lui poser la question. Il est redoutable : une montagne de muscles dirigée par une cervelle de mouche. Regarde un peu les crinières qui ornent sa jolie demeure, dit Fred, en désignant les scalps accrochés aux piquets du tipi.

– Il est sans doute content de te voir. Comme nous d'ailleurs, répondit Édouard.

– Tu es sûr ?

– Oui, dit Fred, un peu gêné. Tu sais, euh, quand ils nous ont amenés ici, on leur a expliqué qu'il

fallait absolument qu'ils te retrouvent, car tu étais...
euh, une sorte de sorcier.

Je sursautai :

– Un sorcier ? !

– Oui, expliqua Édouard précipitamment, c'est à
cause de la magie...

– Ce soir, au conseil des braves, tu dois montrer ta
magie, expliqua Fred. Sinon ils nous tueront... et
nous finirons tous les trois torturés, enterrés et...

– Ça suffit ! l'interrompit Édouard. Laisse-lui le
temps de reprendre ses esprits.

– Magie, répétai-je bêtement.

– Oui, c'est ça, m'encouragea Édouard, magie. Ce
soir...

– Ce soir ?

– Ce soir, acquiesça Fred. Sinon, nous mourrons.

7

Heureusement pour nous, la femme d'Ours Costaud était plus aimable que son mari. Elle dut nous trouver l'air affamé, car elle nous apporta des morceaux de l'infâme semelle que j'avais déjà goûtée. C'était toujours aussi mauvais, mais il fallait bien se nourrir.

– On dirait que personne ne mange de trucs normaux dans ce pays, se plaignit Fred.

– Tu t'attendais peut-être à trouver des hamburgers et des frites ? ricana Édouard.

Entre chaque bouchée, nous nous racontâmes ce qui nous était arrivé depuis notre séparation.

– Nous sommes tombés dans la tribu de Nuage Noir, tu sais, le Cheyenne que Custer poursuit pour l'histoire du King Ranch, m'informa Édouard.

Je sentis mes cheveux se dresser sur ma tête… et réalisai à quel point je tenais à eux.

– La bonne nouvelle, reprit Fred, c'est que Nuage Noir n'est pas un mauvais bougre. D'ailleurs, il veut aller voir Custer pour lui proposer de faire la paix.

– La mauvaise nouvelle, annonça Édouard, c'est que Ours Costaud, notre hôte, est à la tête d'une redoutable bande de guerriers, les Chiens Entêtés, qui en ont après nos scalps.

– Si je vous suis bien, c'est ce soir qu'ils décident de nous renvoyer chez les cow-boys… avec ou sans nos scalps.

– Exact, dit Édouard. À toi de jouer maintenant, et tu as plutôt intérêt à être convaincant parce que je n'ai aucune envie de me retrouver tondu comme un mouton !

– Je suis d'accord avec Édouard, dit Fred.

– Bon, dis-je. Vous avez de la chance. Moi aussi, je tiens à mes cheveux !

Le tipi où se déroulait le conseil des braves était le plus grand de tous. Il était couvert de dessins multicolores, à l'intérieur comme à l'extérieur. En levant les yeux, on apercevait le ciel et les étoiles à travers le trou ménagé pour évacuer la fumée.

Ours Costaud s'assit devant le feu et nous fit signe de prendre place près de lui.

Un cercle de vieillards et de jeunes guerriers se forma tout autour de nous. Un homme était installé sur une sorte de trône. Je compris que c'était Nuage Noir.

Édouard s'adressa à lui en me désignant :

– Voici le garçon de grande magie.

Un vieil homme à l'air très gentil, qui ressemblait un peu à mon grand-père, était assis à l'écart. Il tenait à la main une sorte de paquet recouvert de fourrure et décoré de plumes. Il se leva pour prendre la parole.

– C'est le sorcier, murmura Édouard.

– Frères, dit-il, nous sommes réunis ce soir pour décider du sort des trois petits Wasichus que nous avons trouvés. Interrogeons tout de suite notre Mère la Terre, notre Père le Ciel et les Quatre Piliers de la sagesse pour savoir ce qui est bon pour notre peuple.

L'assemblée des braves l'écoutait dans le plus grand silence. Nous attendions, immobiles. Je songeai aux cow-boys et aux Indiens que j'avais vus au cinéma, et réalisai à quel point notre situation était dangereuse !

– Ho ! dit le sorcier en tendant le paquet à Nuage Noir.

– Ho ! reprirent tous les hommes en chœur.

Nuage Noir enleva la fourrure qui enveloppait le

paquet. Il révéla une pipe en terre rouge avec un long tuyau en bois. Il l'alluma avec une brindille enflammée.

La pipe, ou plutôt le calumet, circula de l'un à l'autre en faisant le tour du cercle. Chacun tirait une bouffée, puis le passait à son voisin.

Quand vint mon tour, j'affichai une franche assurance. J'aspirai et soufflai la fumée comme si j'avais fait ça toute ma vie. Aussitôt, je fus pris d'une quinte de toux terrible. Je tendis rapidement le calumet à Édouard.

Quand chacun eut fumé, Nuage Noir parla :

— Tout le monde ici connaît mes pensées. Le Grand Chef Blanc a promis de nous protéger si nous nous conduisons de manière pacifique. Si nous renvoyons ces garçons chez les Tuniques Bleues, les Blancs comprendront que notre cœur est bon. Si nous les tuons, le mauvais sort et la guerre nous attendent. Voilà, j'ai parlé. Moka-ta-va-tah.

— Enfin quelqu'un de raisonnable, murmura Édouard.

— Hourra ! cria Fred.

Celui-là ! Il se croyait sans doute à un match de

foot ! Rapidement, Édouard et moi lui clouâmes le bec avec nos mains.

Ours Costaud se leva à son tour :

– Nuage Noir a parlé, mais il a oublié un détail : mon frère, Cheval Fougueux, ma mère, Antilope Blanche, notre chef bien-aimé, Loup Jaune, et la moitié de notre tribu ont été massacrés il y a trois printemps par les Tuniques Bleues. Il a aussi oublié sa propre femme, tuée par les Visages Pâles. Je dis que les Blancs nous ont déclaré la guerre. Ours Costaud et ses Chiens Entêtés se battront jusqu'à ce qu'il n'en reste plus un seul sur notre terre. Il faut envoyer les trois scalps aux Tuniques Bleues.

– Oh, non ! gémit Édouard.

Nuage Noir et Ours Costaud avaient parlé. À présent, chacun donnait son avis. Les plus âgés étaient d'accord avec Nuage Noir, et les jeunes guerriers avec Ours Costaud.

Le calumet repassa de main en main. Les hommes se remirent à parler. Les minutes nous parurent interminables à nous qui attendions de savoir si nous allions garder nos scalps !

Le tipi était plein de bruit et de fumée. Édouard se

redressa soudain et se mit à crier en désignant les
dessins bizarres qui recouvraient l'intérieur du tipi :
– Ça y est ! J'ai trouvé ! Je me disais bien que ça me
rappelait quelque chose…
C'est la voûte céleste !

Un silence de mort s'installa soudain. Tous les
Indiens nous regardèrent.
Édouard baissa son bras et s'excusa :
– Euh, pardon…
Je me penchai vers lui pour lui murmurer, rageur :

– Tu ne pouvais pas t'empêcher d'étaler ta science, hein, Monsieur Je-Sais-Tout ?

Muet comme un puma, mais l'air tout aussi féroce, le sorcier s'avança vers nous. Il nous dit quelque chose en cheyenne d'une voix étrangement douce. Il paraissait vouloir dire : « Seriez-vous assez aimable pour faire profiter le reste de la classe de vos commentaires ? »

Deux guerriers attrapèrent le pauvre Édouard et le traînèrent jusqu'au centre du tipi.

– Je ne bavarderai plus jamais en classe, jura Édouard.

N'était-il pas trop tard pour faire des promesses ?

8

Édouard se tenait devant le sorcier. Celui-ci lui tendit un bâton décoré de trois plumes et lui dit :

– Parle.

– Eh bien, euh, c'est que… j'étais en train de… hum… d'expliquer à mes amis David et Fred ici présents que ces dessins ressemblent étonnamment aux constellations.

Le regard interrogateur du sorcier faisait des allers et retours entre les dessins et le visage inquiet d'Édouard.

– Les constellations, vous savez, les étoiles, expliqua Édouard.

Il prit le bâton et entama alors une véritable conférence scientifique :

– Regardez, ici, c'est l'Étoile polaire, et à côté la queue de la Petite Ourse.

Le bâton suivait les lignes tracées sur les parois du tipi :

– Et voici la Grande Ourse qui nous mène tout droit à l'étoile du Berger, celle qui ne semble jamais changer de position dans le ciel.

Le visage du sorcier s'éclaira :

– Ah, c'est l'étoile qui ne marche pas dans le ciel. Ainsi, les hommes blancs connaissent aussi les étoiles ?

– Bien sûr, dit Édouard. L'astronomie est fascinante et très utile. Chez nous, les astronomes sont de grands savants. Ici, c'est le Petit Chien, ajouta-t-il en désignant une constellation de sept étoiles, mais vous les appelez sûrement les Sept Garçons qui dansent dans le ciel.

Le sorcier était ébahi :

– Aucun Wasichu n'avait encore lu mes dessins d'étoiles.

Il s'assit avec un air égaré et se mit à fouiller dans

un tas de peaux. Le reste de l'assemblée paraissait tout aussi étonné.

– Ça a du bon, parfois, d'être ami avec un Monsieur Je-Sais-Tout, dit Fred, admiratif.

C'est alors qu'Ours Costaud se leva :

– N'importe quel enfant connaît les histoires de la Grande Ourse et des Sept Garçons qui dansent dans le ciel. Toutes les grand-mères les racontent près du feu lors des longues veillées d'hiver. Ce n'est pas de la magie !

Quelques jeunes guerriers approuvèrent d'un signe de tête. Je regardai les autres hommes. Notre situation devenait à nouveau critique. On était en train de perdre des supporters, et avec eux notre dernière chance de conserver nos cheveux. Il fallait faire quelque chose ! Regardant le sorcier et ses braves musclés aux haches affûtées, je tentai désespérément de rassembler mes esprits. Prendre la fuite aurait été une solution efficace, mais il fallait se frayer un chemin parmi une bonne douzaine d'Indiens assoiffés de vengeance. Autant se jeter tout de suite dans le feu !

« Ah ! mon cher oncle, si seulement tu étais là, pensai-je amèrement. Tu leur ferais certainement un de tes tours de magie qui les rendraient muets d'admiration. »

J'en étais à rédiger mentalement mes dernières volontés quand une idée germa dans ma tête.

Le coup du balai magique ! Bien sûr, c'était ça la solution ! Je n'avais pas encore eu l'occasion de tester ce tour et le résultat en était assez incertain. Mais c'était maintenant ou jamais.

Je me levai :

– Je me présente, David-la-Magie.

Ours Costaud me lança un regard furieux.

– Je sais comment rendre mon ami Fred plus fort que le plus courageux de vos braves, repris-je.

Tout le monde se remit à parler.

– Ça ne va pas, David ! cria Fred.

Je ne lui répondis pas et le poussai vers le centre. Puis je me tournai vers le chef :

– Puis-je vous emprunter un brave ?

Nuage Noir acquiesça. Je ramassai le bâton et le tendis à Fred en lui murmurant :

– Tiens-le comme ceci, à l'horizontale, et mets tes deux mains bien au centre. Le truc consiste à pousser légèrement quand l'autre pousse. Ça annule sa force.

— Tu es sûr ? dit Fred.

— Oui, j'en suis sûr, mentis-je.

J'essayai de me concentrer sur une formule assez impressionnante pour leur clouer le bec. Je bougeais mes bras en dessinant des vagues au-dessus de la tête de Fred et me mis à réciter très lentement :

— Enfant blanc est très vaillant, mais petit comme un chat. Brave Indien très malin est fort comme un puma, et pourtant le brave jamais ne pourra pousser l'enfant.

Ours Costaud s'avança, prêt au combat. Son torse puissant brillait, reflétant le scintillement du feu. Ses bras et ses épaules musclées imposaient le respect. Je commençai à me demander si mon idée était bonne tout en réalisant qu'il était un peu tard pour se poser la question !

Ours Costaud gratifia ses sympathisants d'un sourire féroce et commença à pousser. Le petit Fred ne bougea pas. Ours Costaud poussa plus fort. Fred ne bougea toujours pas. Des murmures se firent en-

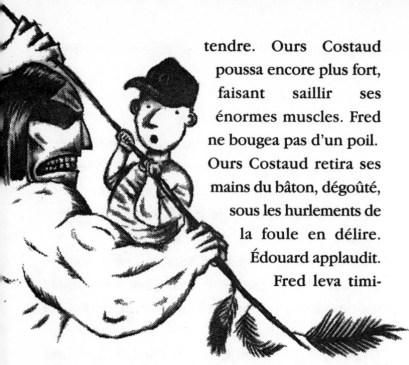

tendre. Ours Costaud poussa encore plus fort, faisant saillir ses énormes muscles. Fred ne bougea pas d'un poil. Ours Costaud retira ses mains du bâton, dégoûté, sous les hurlements de la foule en délire. Édouard applaudit. Fred leva timi-

dement le bras droit en signe de victoire. Quant à moi, je restais immobile, essayant d'avoir l'air le plus magique possible.

Nuage Noir se redressa et leva la main pour faire le silence.

– Je suis votre chef et je dis que le ciel nous a adressé un signe aussi clair que les étoiles qui sont là.

Il mit sa main sur mon épaule et sourit :

– Ces Wasichus sont venus vers nous et nous ont

adressé un signe de paix. Demain, nous les ramè-
nerons chez les Tuniques Bleues.

L'assemblée des sages se leva et se dirigea vers la
sortie en bavardant. En passant près de nous, ils
nous jetaient des regards admiratifs. Seuls, les
jeunes guerriers avaient une lueur mauvaise dans
les yeux.

Le sorcier s'approcha d'Édouard et lui dit mysté-
rieusement :

— Demain, je te donnerai quelque chose.

Ours Costaud posa alors une de ses grosses mains
sur mon épaule, l'autre sur l'épaule d'Édouard, et
Fred se trouva coincé entre nous. Il nous dit :

— Vous dormirez dans mon tipi.

Nuage Noir le regarda, sceptique :

— Pouvons-nous compter sur toi pour prendre soin
de nos invités jusqu'à demain ?

— Les Chiens Entêtés les ont trouvés. Les Chiens
Entêtés s'occupent d'eux, répondit Ours Costaud.

— C'est bon, dit Nuage Noir.

Mais il semblait inquiet, et je dois avouer que je
l'étais encore plus que lui.

Nous sortîmes dans la nuit, escortés par Ours

Costaud. Nuage Noir et le sorcier restèrent ensemble au milieu du grand tipi.

– À demain, nous dirent-ils.

– Espérons, répondit Fred faiblement.

9

Ours Costaud nous poussa sans ménagement à l'intérieur de son tipi. Il ne semblait pas de très bonne humeur. Nous nous assîmes sur les peaux de bison.

– Où as-tu appris ce tour avec le bâton ? me demanda Fred. Je n'aurais jamais imaginé qu'un truc aussi idiot pouvait marcher.

Venant de lui, c'était un compliment.

– Oh, c'est un petit tour de magie que j'ai trouvé dans un livre !

– Et toi, Édouard, où as-tu appris tous ces trucs sur les étoiles ?

– Oh, je l'ai lu dans un livre !

La vie était tout simplement fabuleuse ! En quelques heures, nous avions échappé aux sabots d'un troupeau de vaches assoiffées et à une bande de sauvages taillés comme des colosses. Nous devions notre salut à une vulgaire chaussette trouée et à un simple bâton ! Je me promis de porter désormais le plus grand respect à ces petits accessoires de la vie quotidienne.

Ours Costaud ranima le feu. Les flammes jaillirent, jetant des lueurs dansantes sur la tente. L'Indien nous regardait avec un air terrible.

– Sa mère ne lui a-t-elle donc jamais dit qu'il n'était pas poli de regarder ainsi les gens ? murmura Édouard.

Quatre guerriers arborant de terrifiantes peintures de guerre rouges se ruèrent à l'intérieur du tipi.

– Ces affreux ne m'inspirent pas confiance, murmura Édouard.

– À moi non plus, répondit Fred.

Les quatre brutes en costume de carnaval avaient pris place autour d'Ours Costaud. Une conversation animée en indien commença.

Édouard, Fred et moi décidâmes de nous reposer. Nous prîmes chacun une peau de bison et nous enroulâmes dedans.

J'avertis mes compagnons :

– Nous devons garder l'œil ouvert. Vous, dormez. Je prends le premier quart, proposai-je en bâillant. Je réveillerai Édouard dans quatre heures. Ça marche ?

Pas de réponse… Édouard dormait déjà. Du côté de chez Fred, j'entendis un vague « ouais » suivi d'un ronflement.

À présent, les braves parlaient tout doucement. Ils se glissèrent dehors l'un après l'autre. Ours Costaud se retrouva bientôt seul près du feu mourant.

Je m'enroulai dans ma fourrure et essayai de garder les yeux ouverts. Je fermai un œil, puis l'autre… Je les rouvris aussitôt, Ours Costaud était toujours là.

Je fermai un œil, puis l'autre…

La première chose que je vis en me réveillant, ce fut deux bras énormes qui me soulevaient du sol. On me bâillonna, me lia les pieds et les mains.

D'autres guerriers faisaient subir le même sort à Fred et Édouard.

Le soleil pointait déjà à l'horizon. Les hommes nous jetèrent sur des chevaux et nous emportèrent loin du village. Impossible de deviner où nous allions, mais ce n'était sûrement pas à une surprise-partie. Vu leurs manières brutales, il y avait tout lieu de penser qu'ils n'obéissaient pas aux ordres de Nuage Noir et qu'ils ne nous emmenaient pas rejoindre la cavalerie. D'ailleurs, ils avaient oublié de nous servir le petit déjeuner !

Le voyage dura des heures et des heures. Enfin, Ours Costaud et ses fiers guerriers arrêtèrent leurs montures et nous jetèrent à terre. Ils avaient encore beaucoup à apprendre dans les bonnes manières ! Un des hommes nous ligota tous les trois au même tronc d'arbre.

– On avait bien raison de se méfier, dit Édouard.

– Rappelez-vous ce que racontait Cooky, ajouta Fred, lugubre. D'abord ils les ligotent, puis…

– Arrête ! criai-je. Je ne veux pas penser à ça. J'essaie de trouver une formule magique pour nous sortir de là.

Un des Chiens Entêtés faisait des signes du haut d'une colline.

Ours Costaud (je l'aurais bien rebaptisé Ours Sanglant, celui-là !) tira son poignard de son fourreau avec un sourire inquiétant :

– Alors, qu'attendent nos petits Wasichus pour faire des tours de magie ? Peut-être les gardez-vous en réserve pour vos amis les cow-boys ?

En parlant, il montrait la colline. Nous entendîmes alors très distinctement des meuglements, des sifflements et des hommes qui chantaient.

Le troupeau de Lucky devait être de l'autre côté ! Notre joie fut de courte durée, car Ours Costaud reprit :

– Les cow-boys ne sont pas encore là. J'ai juste le temps de vous scalper, puis ce sera leur tour. Les Tuniques Bleues auront une belle surprise en arrivant.

Il était impossible de dénouer nos liens ! Qui pouvait encore nous sauver ? Je me rappelai cette vieille devise indienne que j'avais lue dans un livre. J'espérais qu'elle me donnerait la force d'affronter la suite des événements : « Surgir comme un renard, se battre comme un lynx, s'envoler comme un faucon. »

En ce qui me concerne, j'étais plutôt fait comme un rat, vulnérable comme l'oiseau et bientôt tondu comme un vulgaire mouton.

La main d'Ours Costaud s'approcha des cheveux de Fred pour les empoigner… C'est alors qu'une flèche vint se planter dans l'arbre auquel nous étions attachés. Ours Costaud arrêta son geste et releva la tête en direction de la colline. Son regard scrutait l'horizon afin de trouver le propriétaire de la flèche. Au sommet de la colline, une cinquantaine d'Indiens à cheval nous regardaient. Il y avait là Nuage Noir, son sorcier et ses vieux guerriers. Ils arboraient tous leur tenue de guerre et poussaient des cris étranges. Les Chiens Entêtés furent bientôt encerclés et traînés jusqu'à leur chef.

Nuage Noir et Ours Costaud se faisaient face. Le vieil indien Nuage Noir lui parla calmement en cheyenne. Cette fois-ci, c'était Ours Costaud qui avait des ennuis. Il se tenait devant son chef, l'air penaud. Celui-ci ne se contenterait certainement pas de plates excuses. Quand il eut fini de parler, Nuage Noir s'avança vers nous, très civilisé :

– Je vous prie d'accepter mes excuses pour le comportement déplorable de mes guerriers. Ils sont intrépides, mais aussi stupides que des poules. Ils agissent d'abord, et réfléchissent ensuite.

– C'est drôle, dit Fred. C'est exactement ce que mon père me reproche tout le temps.

Édouard et moi, nous nous mîmes à rire, car on avait eu la même idée.

Un nuage de poussière annonça l'arrivée du troupeau de *long horns*. Je n'aurais jamais pensé que la vue d'un troupeau de vaches me rendrait aussi heureux.

Les Cheyennes nous libérèrent et Nuage Noir nous rassura :

– Vous allez pouvoir rejoindre vos amis. Nous vous avons apporté quelque chose qui vous aidera peutêtre à retrouver votre route. Souhaitons que notre peuple retrouve aussi le chemin de la liberté.

Ours Costaud et ses Chiens Entêtés nous jetaient des regards furieux.

Le sorcier sortit de sous sa selle un paquet enveloppé de fourrure et le tendit à Édouard en disant :
– Ceci vous revient, ô jeune veilleur d'étoiles. Mes ancêtres et moi, nous avons conservé cet objet depuis la nuit des temps. Peut-être saurez-vous déchiffrer ces étranges inscriptions.

Édouard enleva la fourrure et nous eûmes le temps d'apercevoir une couverture bleu nuit avec de grandes lettres argentées, des étoiles et une lune…
– Le Livre, souffla Fred.

Un coup de clairon retentit alors…, et presque aussitôt le 7e régiment de cavalerie apparut : une centaine d'hommes vêtus de tuniques bleues et armés de fusils et de sabres. La cavalerie venait enfin nous sauver !

10

À nouveau, le clairon sonna la charge.

Des coups de fusil retentirent et des balles sifflèrent au-dessus de nos têtes.

Fred s'élança vers les soldats en agitant sa casquette...

– Ne tirez pas ! Arrêtez ! Ils ne nous veulent pas de mal, ils nous ont ramenés jusqu'ici ! leur cria-t-il.

– Inutile, ami, lui dit Nuage Noir. Rien ne peut arrêter les Tuniques Bleues quand elles sont lancées. La charge battait son plein, les soldats tiraient dans tous les sens. Ours Costaud et ses Chiens Entêtés observaient la scène. Que pouvaient-ils contre une armée aussi puissante ? Ils enfourchèrent à la hâte leurs montures et disparurent bientôt derrière la colline.

Les balles sifflaient autour de nous. L'une d'elles déchiqueta une branche qui tomba à quelques centimètres de mes pieds dans un nuage de poussière. Fred regarda sa casquette qu'il agitait encore quelques secondes plus tôt : une balle l'avait traversée de part en part.

– Wouah ! cria-t-il. Ils ne plaisantent pas, ces gars-là !

– Je te suggère de faire don de ce qui reste de ta casquette à Édouard. Elle sera parfaitement assortie à ses chaussettes, lui fis-je remarquer.

– C'est bien le moment de plaisanter, dit Édouard en râlant.

Nuage Noir était déjà remonté à cheval. Il fit demi-tour, attrapa Fred par le bras et le jeta sur la selle derrière lui. Le sorcier fit de même avec Édouard. Un autre Cheyenne me souleva. Et nous partîmes au galop, fuyant les soldats.

Arrivés en haut de la colline, nos compagnons s'arrêtèrent brusquement. Ours Costaud et ses guerriers nous faisaient face : ils avaient fait demi-tour et semblaient vouloir mener une bataille avec les tuniques bleues.

– Arrêtez, leur criai-je. Ils sont beaucoup trop nombreux pour vous !

Mais leur intention n'était pas d'attaquer les tuniques bleues… En contrebas, le troupeau de Lucky paissait tranquillement dans la grande prairie. Devant nous, deux mille têtes de bétail et des dizaines de cow-boys. Derrière nous, deux cents tuniques bleues et autant de fusils.

Impossible de fuir… Les Indiens étaient piégés.

Ours Costaud et ses Chiens Entêtés descendirent de leurs mustangs. Calmement, ils sortirent leurs carquois, leurs tomahawks, et se mirent en position d'attaque.

Certains récitaient des incantations tandis que d'autres entonnaient des chants de guerre. Les braves se préparaient à mourir. Moi, je ne me sentais pas du tout prêt à quitter la vie. J'entraînai Édouard et Fred à ma suite. Nous courûmes nous cacher dans un buisson.

Nuage Noir se dressait, fier et imperturbable. Il annonça gravement :

– Aujourd'hui est un bon jour pour mourir.

Je ne partageais pas du tout son avis.

– Vite, David, le Livre ! cria Édouard en me tendant le paquet.

Je retirai la fourrure, et la couverture bleu nuit, avec ses lettres d'argent et ses dessins étranges, apparut. Les balles continuaient à siffler tout autour de nous.

– Ils vont finir par nous tuer, ces imbéciles ! gémit Fred.

Les tuniques bleues approchaient dangereusement. À leur tête, le chef brandissait la bannière du régiment. Son visage me disait quelque chose, je l'avais déjà vu quelque part... mais où ? Il ressemblait curieusement à M. Velcro, notre professeur de chimie. Que pouvait-il bien faire, dans une tenue pareille ? Ou alors, c'était l'un de ses lointains ancêtres. En tout cas, grand-père Velcro avait fière allure et savait manier la carabine. Je faillis lui crier que je l'avais reconnu et qu'il ne lui restait plus qu'à jeter les armes. Je me ravisai en voyant le chiffre sept sur la bannière. J'eus tout à coup une illumination. C'est dans un livre d'histoire que j'avais vu le visage de cet homme en uniforme, complètement excité, qui s'approchait de nous pour nous mettre en pièces.

– Ah, mais bien sûr, c'est lui, c'est le général Custer ! Je reconnais sa barbichette en pointe !

– On pourrait peut-être remettre les présentations à plus tard, proposa Édouard, ironique. Pour l'instant, ton Custer, on dirait qu'il a très envie de nous envoyer dans un autre monde ! Et moi, ce n'est pas dans ce monde-là que je rêve d'aller. Allez, David, fais quelque chose, vite !

– Oh oui ! gémit Fred. Ouvre le Livre et quittons ce pays de sauvages !

Je regardai une dernière fois le troupeau de *long horns*, la prairie, les cow-boys, la cavalerie, les Indiens… La poussière voltigeait, le bruit de la bataille était assourdissant. Ce n'est pas que je regrettais déjà tout ça, mais je me sentais un peu bizarre, triste et vaguement responsable. Nuage Noir me souriait. Lui et ses guerriers, ils n'avaient nulle part où aller.

– On ne peut pas faire ça, dis-je en me tournant vers Fred et Édouard. On ne peut pas laisser les

Cheyennes se faire tuer jusqu'au dernier.

– Qu'est-ce que tu veux qu'on fasse ? Qu'on les ramène avec nous à New York ? me demanda Édouard.

Un instant, j'imaginai Nuage Noir et ses guerriers lâchés dans les rues de notre grande ville, au milieu des gratte-ciel et des voitures... J'imaginai aussi la tête de ma mère lorsque je lui aurais dit : « Salut, Maman, j'ai amené quelques copains à plumes pour le dîner »...

– Non, impossible, décidai-je. Mais ça serait quand même bien de faire quelque chose pour eux...

– J'ai une idée ! cria Édouard. Si on essayait la formule pour geler le temps ?

– Pourquoi pas ? dit Fred. Ça a bien marché, la dernière fois, avec la chaussette…

– Ah, pas question que je retire ma chaussette une deuxième fois ! protesta Édouard. Puisqu'on a trouvé le Livre, on s'en sert !

– Alors, fais-le toi-même, Édouard-la-Science ! Tiens ! grognai-je en lui tendant l'ouvrage.

Il le refusa dédaigneusement.

Custer et le 7e régiment de cavalerie approchaient. Ils étaient déjà au milieu de la colline. Les Cheyennes bandèrent leurs arcs et des dizaines de flèches volèrent en direction des soldats.

Je parcourus la table des matières du livre le plus rapidement possible :

– Poudre de folie… Sorts en tout genre… Faits impossibles… Ah, enfin ! La « formule pour geler le temps », page 44…

Je tournai les pages à toute vitesse. Les Cheyennes criaient. Le troupeau de vaches meuglait. La cavalerie chargeait.

– Dépêche-toi ! Lis ! supplia Fred.

Je récitai la formule à toute vitesse :

– « Abracada, abracadi, les Indiens sont nos amis.

Abracadi, abracada, la cavalerie les poursuit.

Et moi, je demande au temps

de geler immédiatement. »

Aussitôt, tout s'arrêta.

La poussière resta suspendue dans l'air au-dessus du troupeau immobile. Custer et ses hommes étaient figés en pleine action – la fumée sortait des fusils, la bannière rouge et blanche flottait sans bouger, les bouches étaient ouvertes, les yeux écarquillés, les sabres levés, les montures immobilisées en plein galop, exactement comme des statues de pierre. Quant à Nuage Noir et ses guerriers, ils ressemblaient aux figurines de cire qu'on met dans les musées.

Un silence absolu régnait sur cette scène étrange. Nous nous levâmes tous les trois avec précaution, craignant de rompre le sortilège.

— Ça a marché ! dis-je dans un souffle.

— Je n'arrive pas à y croire, murmura Édouard.

La scène était vraiment incroyable. On aurait dit un immense tableau, une reconstitution historique d'une bataille au Far West.

Fred fit passer sa main devant les yeux ouverts de Nuage Noir.

Édouard contourna une balle de fusil suspendue dans l'air suivie d'un petit jet de fumée.

— Alors, qu'est-ce qu'on fait maintenant ? On rentre à la maison en laissant tout ce petit monde pétrifié en 1868 ?

J'étais en train de réfléchir :

— Tu oublies juste un détail. Si le temps reste figé en 1868, comment veux-tu que l'on retrouve l'année 1998 ?

— Si seulement on pouvait permettre à Nuage Noir et à ses guerriers de fuir ce guet-apens ! soupira Fred. On ne va quand même pas rentrer tranquillement à la maison en laissant nos amis se faire massacrer par les tuniques bleues…

Il s'avança vers Nuage Noir et essaya de le tirer par le bras. Mais il ne le fit pas bouger d'un pouce.

Je hochai la tête :

— Il est gelé dans le temps et dans l'espace.

— J'ai une idée ! s'exclama Édouard. Si nous parvenons à ne dégeler que les Indiens, ils pourront peut-être sauver leur peau…

Ça méritait réflexion. Je m'assis dans l'herbe et essayai de chercher une solution.

J'ouvris le Livre et replongeai à tout hasard dans la table des matières :

— Courber le temps… Plier le temps… Geler le temps… Cacher le temps… Ah, voilà… Dégeler le temps, page 45.

Je trouvai la page et lus tout haut :

— « Étant donné les bouleversements universels que provoque la formule pour geler le temps, elle ne doit être utilisée qu'en cas d'extrême urgence, et très très rarement, c'est-à-dire pas plus d'une fois par millénaire. Pour dégeler le temps, il vous suffit d'attendre. On considère en général que le temps met entre vingt minutes et une demi-heure pour dégeler, selon les conditions géographiques, climatiques, etc. »

– Entre vingt minutes et une demi-heure ! répéta Fred en sautant sur ses pieds. Ils vont bientôt se réveiller. On ferait bien de songer à rentrer à la maison avant que la bataille ne reprenne !

Je l'arrêtai d'un geste :

– Attends ! J'ai trouvé ce que je cherchais. « Il est possible de dégeler partiellement le temps. Pour cela, touchez la personne ou l'objet que vous désirez dégeler en prononçant le mot "Dizziwig". »

Je mis ma main sur l'épaule de Nuage Noir et essayai la formule :

– Dizziwig.

Le grand chef cheyenne cligna des yeux, bougea un peu, regarda la scène étrange et dit :

– David Grand Magicien !

Édouard et Fred coururent dans tous les sens pour dégeler les Cheyennes pendant que j'expliquais tout le processus à Nuage Noir : le Livre, les formules pour geler et dégeler le temps, les conditions climatiques et géographiques, etc. M. Velcro aurait été fier de moi... C'était évident !

Nuage Noir ne paraissait pas surpris par ce que je lui racontais. C'était pourtant un adulte, et même un vieil homme, mais il ne raisonnait pas comme nos parents : il acceptait les idées folles.

Ses braves commençaient déjà à préparer leurs flèches et à entonner leurs chants de guerre pour reprendre la bataille où elle en était restée.

Nuage Noir leur lança un ordre bref, et tout le monde se calma immédiatement.

– David le Magicien, Édouard le Veilleur d'Étoiles et Fred le Valeureux sont venus du futur pour nous sauver, déclara-t-il. Ils auraient encore beaucoup de choses à nous apprendre. Malheureusement, nous devons partir avant d'être écrasés par les tuniques bleues et leurs terribles armes. Nous reviendrons.

Il se tourna vers nous et dit en levant la main :

– Aussi longtemps que la Grande Ourse nous protégera dans le ciel, nous n'oublierons jamais ce que vous avez fait pour notre peuple.

Nous levâmes la main à notre tour en signe d'adieu.

Les Cheyennes partirent, contournant avec précaution Custer et son régiment. Après être passés près du dernier soldat, ils lancèrent leurs mustangs au galop et disparurent bientôt derrière la colline.

Nous nous regardâmes. Chacun de nous avait une petite larme au coin de l'œil. Nous songions à ce qui attendait nos amis et leur peuple de toute façon.

– Bon, dit Fred. La défense des pauvres et des Indiens, c'est bien, mais si on pensait à rentrer à la maison ?

Nous entendîmes alors un vacarme désormais familier de grognements, de meuglements et de sabots qui frappaient le sol. Le temps avait fait son œuvre et c'étaient les vaches qui se réveillaient en premier…

J'ouvris le Livre à la page où l'on voyait trois garçons…

La fumée verte commença à entourer nos chaussures poussiéreuses et nos vêtements crasseux…

On entendit des murmures, puis des cris : les soldats revenaient peu à peu à la vie. La fumée monta. Le temps se dégela. Et nous disparûmes.

11

— Bravo, Lucky, dit Cooky. Tu as réussi. Le bétail est calme, et voilà la cavalerie qui arrive pour nous débarrasser des Cheyennes.

Lucky le cow-boy repoussa son chapeau du bout de son revolver :

— T'as pas tort, cuistot. Je dois reconnaître que je ne me suis pas trop mal débrouillé. Mais ce n'est pas tout ça, camarades, il faudrait peut-être songer à reprendre la route. On a encore du chemin à faire avant d'arriver à Abilene.

Lucky et Cooky échangèrent un petit sourire complice. La musique du générique retentit et un mes-

sage défila sur l'écran : « Rendez-vous la semaine prochaine pour les nouvelles aventures de Lucky le cow-boy ! »

Fred éteignit la télévision et dit :

– Vous pouvez compter sur nous !

On se regarda tous les trois, encore un peu sonnés par notre voyage au Far West.

On avait vraiment une drôle d'allure ! Nos vêtements étaient déchirés, chiffonnés et couverts de poussière. Édouard essayait de nettoyer ses lunettes avec son tee-shirt crasseux. Fred, prostré sur mon lit, semblait hésiter entre le rire nerveux et les larmes de bonheur. Quant à moi, j'avais un peu mal au ventre : les haricots de Cooky, sans doute !

– J'aimerais bien savoir comment ça s'est terminé pour les Cheyennes ! dit Fred. J'espère qu'ils ont réussi à échapper à Custer et sa troupe.

Nuage Noir, Custer, les tuniques bleues, les Chiens Entêtés, tout était déjà loin, et pourtant encore si proche !

Je répondis :

– Tout le monde sait ce qu'est devenu Custer. Mais Nuage Noir et ses hommes, je préfère ne pas y penser… On n'échappe pas à son destin. En ce qui me concerne, et étant donné l'heure qu'il est, mon destin s'appelle ma mère…

Édouard jeta un coup d'œil sur le ciel étoilé :

– En tout cas, la Grande Ourse est toujours dans le ciel…

– Chut ! Taisez-vous ! dit Fred. J'entends du bruit !

– Oh, non ! Ça ne va pas recommencer ! gémit Édouard.

Nous attendîmes en frissonnant.

Une clé tourna dans la serrure, et bientôt la porte d'entrée s'ouvrit :

– David ? Tu es là ?

C'était mon destin à moi.

Nous échangeâmes un regard. On avait l'air aussi sauvages que le troupeau de *long horns*, en tout cas on sentait aussi mauvais. La salle de séjour n'avait pas meilleure allure : des canettes, des sacs de pop-corn vides et des papiers de chewing-gum traî-naient un peu partout. Et pas une seconde pour remettre de l'ordre !

Je commençai à regretter Ours Costaud et ses ma-nières brutales, mais je résolus d'attendre la ca-tastrophe calmement. Après les aventures que nous venions de vivre, comment pouvais-je craindre une simple punition ? Et pourtant…

FIN

Et pour **délirer** encore,
lis cet extrait
de

Ta mère
est une
Neandertal

Freddy, Édouard et moi, nous n'avions jamais rien vu de pareil : autour de nous s'étendait une immense forêt pleine d'arbres bizarres et de fougères géantes. Derrière nous se dressait un pic rocheux. Et là-bas, un peu plus loin, un volcan fumait tranquillement.

Mais tout ça, nous ne l'avons pas remarqué immédiatement. La première chose que nous avons vue, c'était que nous trois, oui, tous les trois, et aussi incroyable que cela puisse paraître, nous étions nus comme des vers.

– Nous n'avons plus rien ! gémit Freddy.

– Qu'est-ce qui a bien pu se passer ? demanda Édouard. Ça n'arrive jamais dans les livres de science-fiction.

– Et pourquoi ça tombe sur nous ? se lamenta Freddy. C'est vachement... embêtant !

Je les rassurai :

– Nous n'avons pas tout perdu, regardez ! Édouard a ses lunettes. Toi, Freddy, tu as ta casquette. Et moi, j'ai encore ma paille !

– David-le-Magicien a sa paille ! Nous sommes sauvés alors ! Bravo, David ! ricana Édouard. Et le Livre ? Ne me dis pas que tu n'as pas le Livre !

– Non, non, je ne le dis pas... Mais... c'est la vérité !

— Nous n'avons pas le Livre ! Nous sommes fichus ! pleurnicha Freddy. Ce n'est sûrement pas ici, à l'âge de pierre, qu'on risque d'en trouver un.

— C'est provisoire, murmura Édouard en regardant autour de lui.

— Provisoire ! C'est tout ce que tu trouves à dire ! cria Freddy. Nous avons un petit million d'années à attendre l'invention du langage, de l'écriture et de l'imprimerie, et toi, tu trouves ça « provisoire » !

Édouard expliqua tranquillement :

— Mais non ! Pas un million d'années, Freddy, tu dérailles ! D'après mes calculs, nous avons atterri en 30 000 avant Jésus Christ. C'est vrai que nous sommes complètement nus, sans outils, sans armes et sans le Livre. Mais il nous reste une chose…

– La trouille ? suggéra Freddy.

– Arrête ton char et réfléchis un peu. Nous avons l'intelligence et les connaissances, toutes les connaissances de l'homme moderne. Ici, aux temps préhistoriques, nous pouvons être des rois. Ou au moins avoir un succès monstre !

– En attendant, reprit Freddy, je donnerais tout ce que j'ai, c'est-à-dire trois fois rien, pour un caleçon et une part de pizza !

Édouard fit comme s'il n'avait rien entendu :

– Grâce à notre cerveau supérieur, il nous suffit de recréer la civilisation moderne. Regardez !

Il attrapa une feuille géante :

– Voici... un magnifique pantalon.

Il tira une tige de vigne :

– Et une ceinture.

Il enroula la tige autour de la feuille et fit un nœud :

– Que pensez-vous de ma nouvelle tenue ?

Il ne nous restait plus qu'à faire comme lui. On avait l'air parfaitement ridicules, mais, au moins, c'était déjà un début de civilisation…

Freddy sautillait autour de nous dans sa nouvelle tenue :

– Moi sauvage, savoir lire, écrire, compter, hou, hou…

Soudain, on entendit des hurlements perçants qui venaient de la forêt. Affolé, je scrutai les environs :

– Que diriez-vous d'une petite course à pied ? Je n'ai pas très envie d'être dévoré par un dinosaure.

– T'es fou ? m'arrêta Édouard. Réfléchis donc un peu, à la fin ! Les dinosaures et les hommes n'ont jamais coexisté.

Il ajouta en remettant sa feuille en place :

– Si nous sommes bien en 30 000 avant Jésus Christ, les dinosaures ont disparu depuis 65 millions d'années. Et l'homme de Cro-Magnon, notre ancêtre direct, vient juste de remplacer l'homme de Neandertal.

Un autre hurlement se fit entendre.

– Qu'est-ce que c'est ? cria Freddy.

Un énorme rugissement retentit au même instant, le rugissement d'un animal énorme, très très grand, très très en colère et sûrement très très affamé.

– Ne serait-ce pas le moment de disparaître et de rentrer chez nous ? proposa Freddy.

– Quelle bonne idée ! Et il suffit de chercher la formule dans le Livre, n'est-ce pas, David-le-Magicien ? répondit Édouard en me fixant avec reproche.

– Bon, eh bien, moi... je me cache ! dis-je d'un

air qui se voulait détaché.

Et je plongeai lâchement dans le premier buisson venu.

Freddy et Édouard me suivirent. Presque aussitôt, une bande de sauvages jaillit des fougères. Ils portaient des peaux de bêtes. Leurs cheveux étaient longs, sales et emmêlés, leurs barbes en broussaille. Ils couraient comme des dératés.

– Des hommes des cavernes ! commenta Freddy.

Une tête d'animal surgit au-dessus des fourrés.

– Tiens, voilà un dinosaure ! chuchota Freddy.

Édouard secoua la tête :

– Impossible. Impossible ! Je t'ai dit que les dinosaures n'existent plus.

La tête de monstre tourna ses yeux globuleux vers nous et rugit. Nous reculâmes jusqu'au rocher.

– Explique-lui donc qu'il n'existe pas, proposai-je à Édouard. Ça le fera peut-être disparaître !

Le dinosaure rugit à nouveau.

Nous étions venus à l'âge de pierre pour être des rois, et nous étions sur le point de devenir un véritable festin.

Découvre vite la suite de cette histoire dans

Ta mère est une Neandertal

N° 207

Tu as aimé **sourire et rire ?**

Alors les autres titres de sont pour toi :

Impression réalisée sur CAMERON par

BRODARD & TAUPIN

GROUPE CPI

La Flèche
en décembre 2000

Imprimé en France
Dépôt légal : janvier 2001
N° d'Éditeur : 6520 – N° d'impression : 5293